L'auteur
Dominique de Saint Mars

Après des études de sociologie,
elle a été journaliste à *Astrapi*.
Elle écrit des histoires
qui donnent la parole aux enfants
et traduisent leurs émotions.
Elle dit en souriant qu'elle a interviewé
au moins 100 000 enfants...
Ses deux fils, Arthur et Henri,
ont été ses premiers inspirateurs !
Prix de la Fondation pour l'Enfance.
Auteur de *On va avoir un bébé*,
Je grandis, Les Filles et les Garçons,
Léon a deux maisons et
Alice et Paul, copains d'école.

L'illustrateur
Serge Bloch

Cet observateur plein d'humour
et de tendresse est aussi un maître
de la mise en scène.
Tout en distillant son humour généreux
à longueur de cases, il aime faire sentir
la profondeur des sentiments.

Lili a été suivie

Avec la collaboration de Marceline Gabel

Série dirigée par Dominique de Saint Mars

© Calligram 1994
Tous droits réservés pour tous pays
Imprimé en Italie
ISBN : 978-2-88445-151-2

Ainsi va la vie

Lili a été suivie

Dominique de Saint Mars

Serge Bloch

clop clop clop

CALLIGRAM

CHRISTIAN GALLIMARD

Ce type me suit.
Mais qu'est-ce qu'il
me veut ?...

11

12

13

14

15

17

19

Lili, raconte-nous exactement ce qui s'est passé.

Je suis rentrée seule du cours de musique. Zoé était malade aujourd'hui. Et j'ai senti qu'on me suivait... Et puis il a voulu toucher ma culotte mais une petite voix dans ma tête m'a dit : « attention »... Je lui ai dit « non, je ne veux pas !... » et j'ai couru.

J'étais mal et j'étais gênée. Je savais pas si je me faisais des idées. J'avais peur d'être malpolie.

Tu as eu une très bonne réaction, tu as su dire NON et trouver quelqu'un pour t'aider.

23

Mais qu'est-ce qu'il voulait ?

Tu sais, il y a des gens qui sont malades. Il y a quelque chose qui s'est mal passé dans leur vie et ils ont une sexualité déséquilibrée.

C'est quoi une sexualité ?

C'est l'amour, andouille !

26

27

28

Si, je vais lui faire une protection rapprochée, parole de Max Gyver ! Faudrait pas qu'on touche à un cheveu de ma sœur.

LE LENDEMAIN...

Max ne m'a pas attendue... AAAH, ce sifflotement !

31

32

Eh ben c'est bien fait ! parce que c'était de sa faute, c'était lui le responsable et toi tu pouvais pas te défendre.

T'as pas le droit de faire ça ! Et tu vois bien que ça n'amuse personne !

Te laisse pas faire, Paul !

ET À L'HEURE DE LA SORTIE...

36

37

38

39

Et toi...

Est-ce qu'il t'est arrivé la même histoire qu'à Lili ?

As-tu peur que cela t'arrive ?
As-tu des amis qui t'en ont parlé ?

Arrives-tu à dire facilement ce que tu ressens ?
Oses-tu dire NON même à des gens qui t'intimident ?

As-tu le téléphone des gens
à qui tu peux demander de l'aide ?

Dans une situation qui pourrait être dangereuse,
te demandes-tu si tes parents savent où tu es ?

Sais-tu que ces accidents sont rares
mais qu'il vaut mieux apprendre à s'en défendre ?

Fais-tu la différence entre quelqu'un qui te demande
l'heure ou qui te demande de venir avec lui ?

As-tu senti que cette situation était bizarre ?
Ou as-tu pensé que tu avais trop d'imagination ?

As-tu eu très peur ?
Est-ce que cela dure encore ?

En as-tu parlé tout de suite à tes parents ?
Est-ce qu'ils t'ont cru ?

Pour décider de ce que tu dois faire,
fais-tu confiance à ce que tu ressens ?

Est-ce que cela t'a rendu méfiant
envers tout le monde ou seulement prudent ?

As-tu encore besoin d'en parler
ou préfères-tu oublier ?

**Après avoir réfléchi
à ces questions
sur les mauvaises rencontres
tu peux en parler
avec tes parents ou tes amis.**